어려운 시절

글 찰스 디킨스 | 그림 마리아 말란드리노 | 옮김 윤영

KB086167

스푼북

괴팍한 늙은이
그래드그라인드

    오래전 잉글랜드 중부에 코크타운이라 불리는 따분하고 칙칙한 도시가 있었어. 도시를 가득 채운 거대하고 음침한 빨간 벽돌 공장들에는 수백 개의 창문이 나 있었는데, 마치 거인의

눈알이 도시를 내려다보는 듯했지.

　사람들이 사는 거리는 다 비슷비슷한 느낌
이었어. 그곳에 사는 사람들의 삶 역시 서로
무척 비슷했단다. 그들은 매일 아침 똑같은 시
간에 일어나, 똑같이 변변치 않은 아침을 먹
고, 똑같이 그을음투성이인 공장에 가서 일을

했어.

코크타운에서의 삶은 매우 따분하고 지루했어. 뭔가 새로운 건 꿈을 꿀 수 없었지. 기발한 상상을 할 틈이 없었거든. 코크타운은 냉혹한 곳이었어. 이곳에서는 사실과 숫자, 돈이 중요했단다.

토마스 그래드그라인드 씨는 코크타운 근처에서 학교를 운영했어. 그 역시 사실, 숫자, 돈에만 관심 있는 사람이었지.

그래드그라인드 씨는 오로지 직선과 정사각형으로 이루어진 사람 같았어. 그의 이마는 단단하고 네모났으며 진한 눈썹은 일직선으로 쭉 뻗어 있었어. 그래서 늘 눈에 그늘이 드리웠지.

바로 지금 그래드그라인드 씨는 네모나게 각진 손가락으로 어린 소녀를 가리키고 있어.

"넌 이름이 뭐지?"

그가 얼굴을 찌푸리며 사납게 물었어.

"저는 씨씨 주프입니다."

소녀가 대답했어.

"씨씨 같은 건 이름이라고 할 수 없어. 앞으로는 씨씨 대신 세실리아라고 부르도록 해."

"하지만 저희 아빠가 지어 주신 이름인걸요."

씨씨가 떨리는 목소리로 설명했어.

"그럼 아빠한테 가서도 그 이름은 그만 쓰라고 전해. 앞으로는 절대 씨씨라고 부르지 말라고 하란 말이야. 참, 너희 아버지는 뭐 하시는 분이지?"

"서커스에서 일하십니다."

그래드그라인드 씨의 표정으로 보아하니 씨씨의 대답이 영 만족스럽지 않은 모양이야.

"저희 아빠는 말과 함께 일하세요."

씨씨가 말했어.

"그게 다야? 그럼 어디 한번 말해 봐라, 세실리아. 말이란 어떻게 정의할 수 있을까?"

씨씨 주프는 당황스러웠어. 말은 말이지, 그걸 어떻게 정의한담? 씨씨는 아무 말도 하지 못했어. 얼굴만 빨갛게 달아올랐지.

"이 애는 말을 정의하는 것도 못 하는군! 말
이 무엇인지 설명해 볼 사람 없나? 자네는 어
떤가, 비처?"

비처는 밝은 금발에 주근깨가 가득한 소년이었어.

"말은 사족동물입니다."

말은 다리가 네 개라는 뜻이었지.

"그리고 초식성입니다."

말은 풀을 먹는다는 뜻이었어.

"또한 말은 이빨이 40개이며 단단한 말굽을 갖고 있습니다. 하지만 말발굽에는 편자*를 박아 주어야 합니다."

비처는 계속 설명했어. 그럴 때마다 그래드그라인드 씨는 만족스럽게 고개를 끄덕였지.

"아주 잘했다. 그게 바로 말이지."

그는 웃으며 팔짱을 꼈어.

*편자: 말굽에 대고 붙이는 U 자 모양의 쇳조각.

"그럼 한 가지만 더 물어보지. 혹시 자기 침실을 말 그림으로 장식할 생각이 있나? 말 그림이 잔뜩 그려진 벽지 같은 걸 붙인다거나?"

반 아이들 절반 정도가 소리쳤어.

"좋습니다!"

그리고 그래드그라인드 씨의 눈치를 살피던 나머지 절반이 소리쳤어.

"싫습니다!"

"당연히 그런 일은 하면 안 된다. 왜 그런지 아나?"

정적이 흘렀어. 아무도 답을 몰랐거든.

"내가 설명해 주지. 너희는 실제로 말이 벽을 오르내리는 걸 본 적이 있나? 어때?"

"없습니다!"

모두가 대답했어.

"당연히 없을 거다. 말은 벽을 타지 않아. 그런데 뭐 하러 말 그림으로 벽을 장식하려고 하나? 그건 정말 우스꽝스러운 일이야! 진짜가 아닌 것은 보지도 말아야 해. 상상을 하는 건 어리석은 짓이니, 잊어버리도록 해. 신화도 잊고, 마술도 잊고, 동화도 잊어라. 중요한 건 사실이야!"

그래드그라인드 씨는 스스로 뿌듯해하며 교실을 나갔어. 하지만 그뿐이었어. 뿌듯하다고 해서 평소보다 발걸음이 가벼워지지는 않았지.

그는 평소와 다름없는 진지한 표정으로, 평소와 다름없는 걸음걸이로 걸어 나갔어.

그래드그라인드 씨는 기분 좋게 코크타운 변두리에 나갔다가 깜짝 놀라 멈춰 섰어. 그는 불쾌한 기분으로 주위를 둘러보았지. 어디선가 즐거운 음악 소리가 바람을 타고 날아오는

게 아니겠어? 그는 알록달록한 나무 운반차가

여기저기 흩어져 있는 걸 보고 확신했어.

　역시나, 세상에! 기분 나쁠 정도로 큰 줄무

늬 천막도 있었어. '슬리어리 서커스'라고 적혀

있는 깃발도 바람에 나부끼고 있었지.

그래드그라인드 씨의 일자로 굳게 닫힌 입이 찌푸려졌어. 화려하고 재미있는 서커스는 코크타운과는 정반대의 것이었지. 이 바보 같은 쇼가 학생들에게 어떤 본보기가 될까? 서커스 단원들을 태우고 달리는 말, 저글링하는 광대, 딱 붙는 옷을 입은 줄타기 곡예사를 보는 순간, 사실과 숫자의 중요성에 대해서는 깡그리 잊을 것 같았어. 당장의 재미를 원할 것 같았지.

이미 천막 틈 앞에는 웅크리고 있는 어린아이들이 있었어. 아이들은 차례대로 공연이 벌어지는 천막 안을 훔쳐보았지. 그래드그라인드 씨네 학교 학생들은 아닌 것 같았어.

그래드그라인드 씨는 주머니에서 안경을 꺼내 코끝에 걸쳤어. 눈앞 광경이 좀 더 또렷해졌지. 그런데 그 순간 기분이 확 상하고 말았어. 아이들 틈에서 딸 루이자와 아들 톰을 발견한

거야. 루이자는 열여섯 살이었고, 톰은 그보다 한 살 어렸어.

그래드그라인드 씨는 아들과 딸의 손을 붙잡고 끌고 갔어.

"여기서 도대체 뭐 하는 거야?"

그래드그라인드 씨가 꾸짖었어.

"안에서 뭐 하는지 궁금해서 그랬어요. 서커스단이 곧 떠날 거라 빨리 봐야 했다고요."

루이자가 말했어.

"루이자, 네 친구들이 이 모습을 보면 뭐라고 하겠니? 바운더비가 뭐라고 하겠냐는 말이다!"

그가 잔소리를 했어.

바운더비라는 이름이 나오자마자 루이자의 표정이 싹 바뀌었어. 눈을 가늘게 뜨고, 눈썹을 찌푸린 채로 입을 앙다물었지. 아빠의 질문에 절대 대답해 주지 않을 것 같은 표정이 되었어.

바운더비 씨를
만나다

조사이어 바운더비는 덩치가 무척 크고, 돈이 엄청 많은 사람이었어. 그는 공장 세 개에 바운더비 은행까지 가지고 있었지.

재산이 많아서인지, 아니면 원래 그의 성격이 그런 건지, 바운더비 씨는 자기가 세상에서 가장 중요한 인물이라고 생각했어.

스톤 로지에 있는 그래드그라인드 가족의 집에 바운더비 씨가 왔을 때였어. 그는 집 안 객실에 서 있었지. 몸집이 작고 가끔 아프기도

하는 그래드그라인드 부인 옆에 있으니, 바운
더비 씨가 마치 거인처럼 보였단다.

바운더비 씨는 그래드그라인드 부인에게 큰 소리로 자랑을 했어. 그런데 그 내용이 좀 특이했지. 자기가 지금 얼마나 부유하고 힘이 있는지가 아니라, 어린 시절 얼마나 가난하고 불우했는지를 떠벌리는 거야.

"이 작은 발을 감쌀 신발 한 켤레 없었어요. 열 살 생일에는 낮에는 배수로에서, 밤에는 돼지우리에서 하루를 보냈죠. 배수로가 낯설진

앓았어요. 저는 원래 거기서 태어났거든요."

　그래드그라인드 부인은 놀라서 헉 소리를
냈어. 그리고 힘없는 목소리로 말했어.

　"그나마 물이 다 마른 배수로였기를 바라요."

　"아니요! 무릎까지 물이 차 있었답니다."

"어머니는 어떤 분이셨나요?"

부인이 물었어.

"어머니는 저를 할머니에게 맡겼어요. 할머니는 세상에서 가장 못된 노인네였죠. 어쩌다 신발 한 켤레를 얻으면 그걸 벗겨 가서 팔았어요. 그리고 그 돈은 자기가 다 가졌죠!"

그는 이렇게 끔찍한 어린 시절을 보낸 후, 어떻게 차근차근 성공을 이뤄 냈는지 자랑하기 시작했어. 실제로 그는 많은 걸 이뤘어. 공장 세 개와 은행 하나를 가졌으니까.

바로 그때 그래드그라인드 씨가 톰과 루이자를 데리고 집으로 돌아왔어. 그래드그라인드 씨에게는 친구가 바운더비 단 한 명뿐이었지. 바운더비 역시 마찬가지였어. 하지만 두 사람 다 우정 따위는 믿지 않았어. 우정은 사실도 아니고, 숫자도 아니잖아. 크기를 재거나 무게를 달 수 없으니, 그들에게 우정은 존재하지 않는 거나 마찬가지였어.

두 사람은 학교에서 만난 학생에 대해 이야기를 나누었어. 서커스 단장의 딸, 씨씨 주프 말이야.

바운더비 씨는 당장 씨씨를 퇴학시켜야 한다고 했어. 그리고 곧장 그의 아빠에게 찾아가, 서커스와 관련된 씨씨를 더 이상 학교에서 받아 줄 수 없다고 이야기하자고 했지.

바운더비 씨는 그래드그라인드 씨와 집을 나서며 루이자에게 이렇게 소리쳤어.

"잘 있어라, 사랑하는 루이자."

"안녕히 가세요, 바운더비 씨."

루이자는 쌀쌀맞게 대답했어.

루이자는 바운더비 씨가 자기를 좋아한다는 걸 알고 있었어. 그리고 그 사실이 진심으로 싫었어. 바운더비 씨가 너무나 싫었거든.

바운더비 씨와 그래드그라인드 씨가 서커
스장에 도착했을 때는 이미 천막이 다 치워지
고 간판도 내려간 상태였어. 시커스단이 코크

타운을 떠나려는 중이었지. 두 사람은 다행이
라고 생각했어.

다만 안타까운 점은 씨씨 주프의 아빠가 이미 떠나 버렸다는 거야. 서커스단과 씨씨까지 모두 버려두고 혼자 사라졌더군. 그 이유를 아는 사람이 아무도 없었어. 홀로 남겨진 씨씨는 무섭고 슬펐어.

그래드그라인드 씨는 씨씨가 앉아 있는 곳으로 걸어갔어. 붉어진 씨씨의 얼굴 위로 눈물이 줄줄 흐르고 있었지.

그래드그라인드 씨가 씨씨에게 말했어.

"내가 제안을 하나 하겠네. 다른 서커스 사람들과 함께 떠날 게 아니라면, 우리 가족과 함께 스톤 로지에서 사는 게 어떤가? 아내가 아파서 옆에서 돌봐 줄 사람이 필요해. 아내를 도와주면 난 네가 계속 교육을 받을 수 있게 도와주지."

씨씨는 깜짝 놀랐어. 그래드그라인드 씨가 누군가에게 이런 친절을 베푸는 걸 본 적이 없었거든. 씨씨는 그의 제안을 받아들였어.

씨씨는 별것 없는 짐을 챙기고, 서커스 가족들
에게 손을 흔들며 작별 인사를 했어.

씨씨와 루이자,
그 만남의 시작

루이자 그래드그라인드는 동생인 톰과 매우 친했단다. 둘은 지루하고 재미없는 스톤 로지에서 함께 자랐어. 둘 다 음악이나 시, 그림에 관심이 있었지만, 모두 그들에겐 허락되지 않은 것들이었지.

루이자가 어릴 때 이런 말을 한 적이 있었어.

"톰, 참 신기한 게 하나 있는데……."

하지만 말을 끝맺기도 전에 아빠가 고함을 쳤어.

"루이자, 신기해하지 마! 신기해하다 보면 상
상을 하게 되지. 상상은 아무짝에도 쓸모가
없어."

그때부터 루이자는 그 무엇도 궁금해하지 않았어. 환상을 품지도 않았고 상상을 하지도 않았지. 그러다 보니 감정을 느끼는 것 자체가 어려워졌어. 루이자는 행복하지도, 슬프지도 않았어. 그냥 그렇게 멍하니 있었어.

한편 톰은 늘 뾰로통하고 화가 많은 청년으로 자랐단다.

어느 날 톰이 루이자에게 말했어.

"세상의 모든 사실과 숫자, 그리고 그것들을 발견한 사람들을 모두 한곳에 모으면 좋겠어. 그리고 그들을 천 개의 화약통 위에 올려놓고 다 날려 버리는 거야!"

톰은 사실과 숫자를 좋아하지 않았어. 하지만 곧 바운더비 씨의 은행에서 일하기로 되어 있었어. 이제 톰은 사실과 숫자에 익숙해져야만 했어.

씨씨는 그래드그라인드의 아이들과 전혀 다르게 자랐어. 그래서인지 처음엔 그들과 잘 어울리지 못했단다. 씨씨는 밤에도 잠들지 못하고 눈물을 흘리며 이대로 도망을 칠까 고민하고 또 고민했어. 이 슬프고 재미없는 도시를 떠나서 서커스단과 아빠가 있는 곳으로 돌아가고 싶었지.

하지만 그럴 수 없었어. 서커스단을 쫓아가도 거기엔 더 이상 아빠가 없으니까. 아니면 아예 모르는 곳으로 떠날까? 그랬다가 씨씨가 코크타운에 없는 사이 아빠가 돌아오면 어떡해? 씨씨는 그런 위험을 무릅쓸 수가 없었어. 그래서 계속 여기에 있을 수밖에 없었지.

씨씨는 점차 스톤 로지에 적응했어. 그리고 루이자를 우러러보기 시작했어. 씨씨가 보기에 루이자는 정말 똑똑했거든. 사람들이 생각하는 것보다 훨씬 더.

두 소녀는 무척 달랐어. 씨씨는 친절하고 재미있으며 늘 긍정적이려고 노력하는 반면, 루이자는 쌀쌀맞고 차가웠어. 오로지 사실에만 관심이 있었고, 긍정적인 면을 잘 보지 못했지. 이렇게 씨씨와 루이자는 서로 달랐지만, 점점 더 친해졌어. 친구 관계를 넘어 자매라고 해도 좋을 만큼 가까워졌지.

씨씨는 루이자에게 자기 아빠 이야기를 들려주곤 했어. 아빠는 서커스단에서 가장 재미있는 광대였고, 말 등에 타서 중력에 거스르는 기술도 보여 주고, 훈련받은 개 메리레그와 함께 아주 재미있는 연기도 보여 주었다고 말이야.

하지만 시간이 흘러 나이가 들수록 씨씨의 아빠는 약해졌어. 옛날에는 잘되던 기술도 더 이상 잘되지 않았고, 다치는 일도 잦아졌지.

서커스가 떠날 준비를 하던 어느 날이었어. 아빠는 씨씨에게 멍과 혹에 바르는 약을 사 오라고 했어. 씨씨는 약을 사서 돌아왔지. 하지만 그곳에 아빠는 없었어. 메리레그를 데리고 사라져 버린 거야. 그래드그라인드 씨가 씨씨에게 스톤 로지에서 살지 않겠느냐고 제안했던 바로 그날이었어. 씨씨는 지금 행복한 나날을 보내고 있어. 하지만 그날 샀던 약을 늘

갖고 다녀. 언젠가 아빠가 돌아왔을 때 이 약

이 필요할 것만 같아서…….

이상한
노파

    선선한 가을날 오후, 톰 그래드그라인드는
바운더비 씨의 집에 찾아갔어. 둘은 어둑어둑
한 응접실에 앉아 홍차를 마시면서, 톰이 바운
더비 은행에서 하게 될 일에 대한 이야기를 끊
임없이 나누었어.

    톰은 앞으로 해야 할 새로운 일이 마음에 들
지 않았어. 하지만 대화를 하다가 깨달았지.
바운더비 씨의 마음을 돌리려면 "루이자 누나
가 좋아하겠네요." 또는 "루이자 누나가 좋아

하지 않겠네요."라고 말하면 된다는 걸 말이
야. 루이자는 바운더비 씨가 가장 좋아하는
사람이었으니, 모든 일은 루이자가 좋아하는
쪽으로 흘러가게 마련이었지.

　지루한 이야기를 마친 톰은 바운더비 씨 집
에서 나왔어. 현관 앞 계단을 걸어 내려가는
데, 무언가 톰의 팔을 건드렸지. 그건 바로 노
파의 손이었어.

노파는 키가 크고 검소한 차림이었어. 오래 걸었는지 신발은 흙이 잔뜩 묻고 다 해져 있더군. 노파는 큰 우산과 작은 바구니를 들고 있었어.

"여기 사는 신사를 본 적 있나요?"

노파가 우산으로 바운더비 씨 집의 현관을 가리키며 물었어.

톰은 고개를 끄덕였어.

"그 사람, 어떻게 생겼나요? 건강하고 유쾌해 보이나요?"

톰은 바운더비 씨의 외모를 떠올려 보았어.

그가 건강하고 유쾌해 보였나?
딱히 그렇지 않았어. 하지만 노파
의 걱정스러운 표정 때문에 톰은
이렇게 거짓말했어.

"네, 아주 건강하고 유쾌하시답
니다."

"오, 고마워요. 정말 감사해요! 이

이야기를 들으려고 오늘 몇 킬로미터를 걸어왔
어요. 드디어 답을 듣게 되어 정말 기쁘군요."

톰은 신기한 눈으로 바운더비 씨의 집을 쳐
다보는 노파를 그대로 남겨 둔 채 길을 나섰
어. 조금 전 만난 노파의 이상한 행동에 호기
심이 생겼지. 성격 나쁜 공장 주인이 건강해
보이는지 물어보려고 몇 킬로미터를
걸어왔다고? 도대체 왜?

그다지 멋지지 않은 결혼식

그렇게 몇 년이 흘렀어. 그 후로 노파는 다시 나타나지 않았지.

그래드그라인드 씨는 계속 학교를 운영하면서 아이들에게 사실과 숫자를 가르쳤어.

바운더비 씨는 은행 덕분에 점점 더 부자가 되었단다. 불쌍한 톰이 일하고 있는 그 은행 말이야.

그럼 루이자는 어떻게 됐을까?

루이자의 삶은 완전히 바뀌었어. 아빠가 자기

서재로 루이자를 불러들인 그날부터.

아빠는 루이자에게 심각한 표정으로 이렇게 말했어.

"루이자, 매우 중요한 사람에 관한 매우 중요한 이야기를 해야겠구나. 너와 결혼하고 싶어 하는 사람이 있단다."

루이자는 잔뜩 실망했어. 숨이 턱 막힐 지
경이었지. 아빠가 말하는 그 사람이 누구인지
알 것 같았거든.

그래드그라인드 씨는 계속 말을 이어 갔어.
"바운더비 씨가 너에게 청혼을 하겠다는
구나."

"아빠, 제가 바운더비 씨를 사랑하는 것 같
나요?"

그래드그라인드 씨는 커다란 레몬이라도 씹
은 듯한 표정을 지었어.

"루이자, 사실에만 집중하자. 바운더비 씨가
너와 결혼하고 싶어 하니? 응, 맞아. 그게 사실

이야. 네가 대답해야 할 질문은 이거 하나야.
넌 그와 결혼을 해야 할까?"

"제가 그와 결혼을 해야 하나요?"

루이자는 아빠를 똑바로 보며 되물었어.

"나, 나는 말할 수 없어. 결정은 네가 내려
야 해."

"바운더비 씨는 나이가 너무 많아요."

"그렇지."

루이자는 일어서서 창가로 걸어갔어. 그리
고 연기가 뿜어져 나오는 수많은 굴뚝을 한참
내다보았지.

"바운더비 씨의 청혼을 받아들일게요."

마침내 루이자가 대답했어.

"현명한 선택을 했구나, 우리 딸."

아빠는 안심한 듯 대답했지. 하지만 서재 문을 닫고 나가는 루이자는 가슴에 돌덩이를 얹은 기분이었어. 눈에서는 뜨거운 눈물이 줄줄 흘러내렸어.

"바운더비 씨는 무척 부자야. 그는 공장도 있고 은행도 있지. 그와 결혼하는 건 현명한 결정이야. 난 옳은 일을 하는 거라고."

루이자는 이렇게 혼잣말했어. 하지만 이런 사실들로는 기분이 나아지지 않았어.

8주 후 루이자 그래드그라인드와 바운더비 씨는 코크타운의 평범한 교회에서 결혼식을 올렸어.

톰은 누나가 바운더비 씨와 결혼하는 게 기뻤어. 톰은 욕심이 아주 많았거든. 누나의 비참한 결혼 생활을 잘 이용하면 바운더비 씨에게서 더 많은 돈을 뜯어낼 수 있을 것이라고 생각했어.

사실 루이자가 스톤 로지를 떠나는 걸 슬퍼하는 사람은 씨씨밖에 없었어. 씨씨는 루이자가 바운더비 씨를 사랑하지 않는다는 걸 알고 있었거든. 하지만 아무 말도 할 수 없었지.

은행털이
사건

루이자가 남편과 끔찍하고도 끔찍한 신혼여
행을 다녀온 직후, 누군가 루이자와 바운더비
씨의 집을 찾아왔어.

"누나!"

톰은 넓은 복도로 걸어 들어오며 큰 소리
로 외쳤어.

"아주 신나는 여행이었지? 이 동생은 생각
도 안 날 정도로 즐거웠겠지?"

톰은 당황해하는 누나의 얼굴을 보며 사악하게 미소를 지었어.

"내가 지금 좀 곤란한 상황이라 누나가 도와줬으면 좋겠어. 도박을 하다가 돈을 좀 잃었지 뭐야. 아, 사실 조금이 아니라 많이 잃었어. 빚을 좀 갚으려는데, 누나가 몇 파운드*만 빌려줄 수 없을까?"

루이자는 자기가 줄 수 있는 만큼 돈을 빌려주었어. 루이자는 톰을 사랑했으니까. 톰을 향한 사랑은 루이자가 느끼는 몇 안 되는 감정 중 하나였거든. 그리고 톰 역시 자기만의 이기적인 방식으로 누나를 사랑했어.

*파운드: 영국의 화폐 단위.

하지만 루이자의 돈은 곧 바닥났어. 톰은 다른 사람들에게도 돈을 빌렸지. 돈을 빌려준 사람들은 날이 갈수록 참을성이 없어지고 화가 늘었어. 톰은 돈 걱정 때문에 시름시름 앓을 정도였지. 점점 살이 빠지고 창백해진 톰은 나이보다 훨씬 늙어 보였어.

그렇게 시간이 흘러 어느 따뜻한 여름밤, 공장이 문을 닫고 도시가 고요한 정적에 빠졌을 무렵 충격적인 일이 벌어졌어.

"누군가 은행에 침입했다!"

고함이 거리에 울려 퍼졌어. 그 소리는 곧 바운더비 씨의 귀에도 들어갔지.

150파운드가 사라졌대. 누군가 금고 열쇠를 복사해서 갖고 있다가 한밤중에 은행에 몰래 들어간 거야.

그 사람은 차가운 복도를 살금살금 지나가,

복사한 열쇠로 금고를 열어 돈을 훔쳐 갔다
고 해.

바운더비 씨는 몹시 화가 났어. 곧장 은행
으로 달려갔지. 그리고 다시 집으로 돌아왔을
땐 아내인 루이자가 집에 없었어. 바운더비 씨
는 더 화가 났어.

한편 루이자는 스톤 로지에 있는 가족들에게 다시 돌아갔어.

루이자는 아빠에게 설명했어. 자신과 남편 사이에는 공통점이 하나도 없다고 말이야. 남편은 늙었지만, 루이자는 젊었어. 남편은 오로지 돈 버는 데에만 관심이 있었지만, 루이자는 그렇지 않았어. 그리고 둘은 서로를 사랑하지 않았어. 이건 모두 사실이었지.

"뭔가 달라지길 바랐어요. 하지만 달라지기는커녕 점점 더……."

루이자는 말을 끝맺지 못했어. 마룻바닥에 루이자의 눈물이 뚝뚝 떨어졌지.

그래드그라인드 씨는 태어나서 처음으로 사
실이 아닌 감정에 마음이 흔들렸어.

그는 바닥에 주저앉은 루이자를 다정하게 일으켜 세우고는 안아 주었단다. 루이자가 울음을 그칠 때까지. 그리고 아직 스톤 로지에서 함께 살고 있던 씨씨에게 자기 딸을 잘 보살펴 달라고 부탁했어.

씨씨는 보고 싶었던 루이자를 도울 수 있어서 행복했어. 둘은 함께 이야기를 나누고, 함께 산책했어. 다시 자매가 된 기분이었지. 사실과 숫자로 딱딱하게 굳어 있던 루이자의 마음이 점점 부드러워지기 시작했어.

그래드그라인드 씨도 변하고 있었어. 그는 아내와 같이 바운더비 씨를 만나러 가기로 결심했지. 가서 루이자는 다시 돌아오지 않을 거라고, 스톤 로지에서 가족들과 함께 살 거라고 이야기할 계획이었단다.

바운더비 씨에 관한 진실

루이자가 스톤 로지에서 지내는 동안 '바운더비 은행털이 사건'의 조사는 계속 이어졌어.

바운더비 씨와 관련된 장소에서 낯선 노파를 목격했다는 이야기가 들려왔어. 그의 집, 그의 공장, 은행 앞에 커다란 우산과 작은 바구니를 든 노파가 있었다고.

어느 가을날 오후, 바운더비 씨 집 앞에서
톰과 잠시 대화를 나누었던 그 노파 말이야.

그 노파가 도둑일 거라고 생각한 경찰은 그를 체포해 바운더비 씨의 집으로 데려갔어.

그날 오후 바운더비 씨 집에는 이미 다른 손님들이 와 있었어. 그래드그라인드 부부와 톰이 응접실에 앉아 있었지. 그때 현관문을 두드리는 묵직한 노크 소리가 들려왔어.

하인이 경찰관과 겁에 질린 노파를 응접실로 안내했어.

경찰이 말했어.

"바운더비 씨, 여기 당신이 찾던 사람을 데려왔습니다. 이 노파가 당신 은행을 털었어요."

바운더비 씨는 충격으로 얼굴이 하얗게 질
렸어. 눈이 휘둥그레 커지고, 눈썹이 다시는
원래 자리로 돌아오지 못할 만큼 높이 치켜
올라갔어.

"도둑을 잡는 게 쉽진 않았습니다. 하지만 이렇게 바운더비 씨를 도울 수 있어서 영광입니다."

경찰이 말했어.

"이, 이, 이 사람을 왜 여기 데리고 왔죠?"

바운더비 씨가 말을 더듬었어.

"내 소중한 조사이어! 내 새끼!"

노파가 소리쳤어.

경찰과 그래드그라인드 가족은 바운더비 씨와 노파를 번갈아 쳐다보았어. 이게 도대체 무슨 상황이람?

노파가 말했어.

"난 네가 시키는 대로 했다. 내가 네 엄마라고 아무에게도 말하지 않았어. 그냥 이따금

코크타운에 찾아와서 너와 이 멋진 집과 공
장, 그리고 은행을 구경만 하고 갔단다. 너무
대견해서 그랬던 거야."

그래드그라인드 씨가 앞으로 걸어 나왔어.

"무슨 생각으로 여길 오셨나요? 당신이 바운더비 씨의 어머니라면, 그가 아기일 때 내다 버린 사람이기도 하겠네요. 당신은 끔찍한 할머니에게 그를 맡기고 떠났잖아요. 바운더비 씨는 열 살 생일을 배수로에서 보내야 했다고요!"

"내가 조사이어를 버렸다고요? 무슨 말도 안 되는 소리예요! 조사이어의 아빠는 이 애가 여덟 살 때 죽었어요. 하지만 이 아이를 모자람 없이 키우기 위해 내가 얼마나 아끼고 아꼈는지 알아요? 이 아이에게 내가 할 수 있는 최선을 다했어요. 절대로 그를 떠난 적이 없다고요."

하얗게 질렸던 바운더비 씨의 얼굴이 빨갛게 변해 있었어. 마침내 진실이 밝혀졌어. 그는 배수로에서 태어나지도, 엄마에게 버림받지도 않았어. 다 그의 거짓말이었던 거야!

이 놀라운 소식은 금세 코크타운에 퍼졌어.

늘 자부심에 큰소리를 떵떵 치던 바운더비 씨가 이제는 바람 빠진 풍선처럼 쭈그러들었지.

다시 슬리어리
서커스로

경찰은 완전히 당황했어. 이 노파가 은행을
턴 범인이 아니라면 도대체 누구 짓이란 말
이야?

그날 오후 바운더비 씨의 응접실에 있던 사
람들이 조금만 주변을 살폈다면 범인이 누군
지 알아챘을 거야. 특히 경찰이 은행 털이범
이야기를 할 때 불안해하는 톰을 봤다면 바로
눈치를 챘겠지.

사실 그때 바운더비 은행에서 돈을 훔친 범인은 그 은행에 다니고 있던 톰이었어. 도박 빚을 갚기 위해 돈이 필요했거든.

사람들이 은행털이 이야기를 할 때마다 톰은 얼굴이 빨개지고 심장도 빨리 뛰었어. 이러다 결국 들키고 말 거라고 생각했지. 누나 루이자에게라도 사실대로 털어놓았어야 했는데 그러지 못했어. 너무 창피하고 부끄러워서 누나의 얼굴도 볼 수 없었으니까. 톰은 대신 씨씨에게 자기 잘못을 털어놓았어.

"이제 어떻게 해야 할까? 계속 여기 있다가는 경찰에게 들키고 말 거야. 하지만 난 돈도 없고 날 숨겨 줄 친구도 없어!"

씨씨는 한참을 생각한 끝에 말했어.

"우리 아빠가 운영하던 슬리어리 서커스가 있어. 이때쯤이면 리버풀에서 공연을 하고 있을 거야. 리버풀로 가서 서커스단 사람들에게

내가 보냈다고 말해. 그럼 그 사람들이 널 안

전하게 지켜 줄 거야."

톰은 씨씨가 시키는 대로 했단다.

시간이 흘러 톰의 범죄가 밝혀지자 루이자는 소름이 끼쳤어. 그래드그라인드 씨도 충격을 받았지. 톰에게, 그리고 비밀을 지켜 준 씨씨에게 화가 났어. 하지만 그래드그라인드 씨는 이제 변했어. 그들을 향한 분노보다 동정심과 사랑이 더 컸지.

그래드그라인드 씨와 루이자는 씨씨에게 리버풀에 있는 슬리어리 서커스로 데려다 달라고 했어.

서커스는 씨씨가 기억하던 그대로였어. 알록달록한 색과 밝은 빛, 웃음과 활기가 넘쳤지. 이곳에는 코크타운에는 없는 모든 게 다 모여 있었어.

그들은 화려한 줄무늬 천막 안에서 톰을 발견했단다. 톰은 광대가 되어 사람들을 웃기고, 다른 출연자들과 농담을 주고받았어. 톰이 이런 일을 할 수 있으리라고는 상상도 못했는데 말이야.

그래드그라인드 씨는 아들의 웃는 얼굴을 보고 가슴이 쿵 내려앉았어. 자식들의 삶을 우울하고 따분하게 만든 데에 죄책감을 느꼈지. 그는 톰이 서커스를 즐기고 있다는 걸 알 수 있었어. 그래도 톰을 이대로 둘 순 없었지.

그래드그라인드 씨는 톰이 리버풀에서 미국으로 떠나는 배에 몰래 탈 수 있게 준비했어. 배가 떠나는 날 그래드그라인드 씨와 씨씨, 루이자는 눈물을 흘리며 톰에게 작별 인사를 했단다.

톰은 가족들과 헤어질 때 별로 슬프지 않았어. 눈물 한 방울도 나지 않았지. 하지만 미국에 도착했을 때 다시는 가족들을 볼 수 없다는 걸 깨달았어. 그리고 그제야 가족들이 사무치게 그리웠지.

톰과 헤어진 그래드그라인드 씨는 슬리어리 씨에게 씨씨의 아빠 소식을 물었어.

슬리어리 씨는 이렇게 대답했어.

"아, 모르셨나요? 메리레그가 제 발로 돌아왔어요. 그 개는 주인이 살아 있는 한 주인을 떠나지 않을 녀석이에요. 아마 주프는 죽었을 겁니다."

그래드그라인드 씨는 돌아섰어. 그는 눈물
이 그렁그렁 맺힌 채 아무 말도 하지 못했지.
감정이 북받쳐 올라 힘들었거든.

시간이 흘렀어.

그래드그라인드 씨는 더 이상 사실과 숫자
에 집착하며 살지 않았단다.

씨씨는 결혼해서 아이를 낳았어. 늘 아버지
를 그리워했지만, 그에 대한 기억을 떠올리면
이제 눈물 대신 미소가 나왔어.

루이자는 다시 결혼하지 않았어. 대신 씨씨
의 아이들을 씨씨 못지않게 정성껏 보살폈지.
씨씨에게 루이자는 줄곧 자매 같은 존재였고,
아마 앞으로도 쭉 그럴 거야.

찰스 디킨스

1812년 영국 포츠머스에서 태어났어요. 찰스 디킨스는 소설 속 등장인물들처럼 가난했고 힘든 어린 시절을 보냈어요. 하지만 어른이 된 그는 자신이 쓴 책으로 전 세계에 알려졌고, 그 시대 가장 중요한 작가 중 한 명으로 기억되고 있답니다.

마리아 말란드리노 그림

마리아 말란드리노는 이탈리아 토리노에서 활동하는 일러스트레이터이자 시각 개발 아티스트입니다. 런던 예술 대학에서 잡지 출판을 공부했고 다양한 회사와 브랜드의 그래픽 디자이너로 마케팅 및 광고 회사에서 일했어요. 지금은 장난감 캐릭터 디자이너로 일하며 어린이를 위한 책에 그림을 그린답니다.

윤영 옮김

서울대학교 미학과를 졸업하고 같은 대학원에서 고고미술사학과를 수료했습니다. 현재는 번역 에이전시 엔터스코리아에서 번역가로 활동 중입니다. 옮긴 책으로는 〈암호 클럽〉 시리즈, 〈복면공주〉 시리즈 등이 있습니다.

어려운 시절

초판 1쇄 발행 2023년 6월 27일

글 찰스 디킨스 | 그림 마리아 말란드리노 | 옮김 윤영

ISBN 979-11-6581-424-3 (74840)
ISBN 979-11-6581-418-2 (세트)

발행처 주식회사 스푼북 | **발행인** 박상희 | **총괄** 김남원

편집 김선영·박선정·김선혜·권새미 | **디자인** 조혜진·김광휘 | **마케팅** 손준연·이성호·구혜지

출판신고 2016년 11월 15일 제2017-000267호

주소 (03993) 서울시 마포구 월드컵북로 6길 88-7 ky21빌딩 2층

전화 02-6357-0050(편집) 02-6357-0051(마케팅)

팩스 02-6357-0052 | 전자우편 book@spoonbook.co.kr

제품명 어려운 시절
제조자명 주식회사 스푼북 | **제조국명** 대한민국 | **전화번호** 02-6357-0050
주소 (03993) 서울시 마포구 월드컵북로6길 88-7 ky21빌딩 2층
제조년월 2023년 6월 27일 | **사용연령** 8세 이상
※ KC마크는 이 제품이 공통안전기준에 적합하였음을 의미합니다.

⚠주 의

아이들이 모서리에 다치지
않게 주의하세요.